◍ C O N T E N T S ◍

일러두기

1) 이 책은 일본 제책 방식을 따랐습니다.

2) 글을 읽을 때 오른쪽에서 왼쪽으로 읽어주세요.

#1 보노보노와 바다와 실례4

바닷 속에 새가 !?

엇!

어디선가 새소리가 들려!

앗 삐 삐 삐 삐 삐

자～ 점심밥을 잡아야 해

나랑 닮지 않았어?

그런데, 셀레나 말이야~

시끄럿! 더 때린다!

나 때릴 거야? 때릴 거야?

포로리도!

앗

이것 봐!

그럼, 저 입은?

넌 조용히 해!

닮은 건 눈밖에 없잖아!

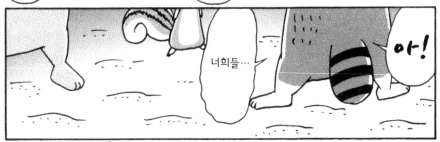

#1 끝

018

이거 말이냐?

너랑 똑같은 거짓말쟁이 잖아

너희 아빠는 안 돼!

우리 아빠야

털썩

이건 내 거다

하아~

스읍~

이렇게 하면 눈의 피로를 풀 수 있다

그거 어떻게 쓰는 거예요?

아빠, 왜 그런 거짓말을 해?

다 거짓말을 하다니!!

이 녀석들!

그만 해!

포로리 한테도 줘봐요~ 줘봐~

좋겠다! 줘봐!

다들 싸우지 마~~

티격태격 티격태격

너부리, 그러면 안 돼!

앗

뻐엉

한꺼번에 해치워 주지!

동굴 아저씨가 가둬버릴 거야~~

싸 우 면,

#3 행복하고 또 행복한 프레리독

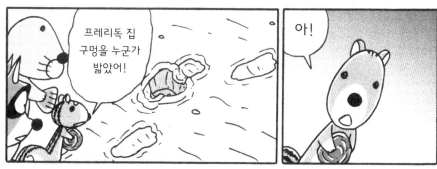

프레리독 집 구멍을 누군가 밟았어!

아!

휴~

꾸욱

너부리도 해봐요!

뭐가 혹시나 싶어?

아니, 혹시나 싶어서...

왜 안도하는 거야!

뾱

못 하겠어요?

싱긋

왜 그러세요?

뭐라고라고라?

할 수 있지!

꾸욱

프레리독이 토끼를 용서해줬어!

엉금엉금

벌러덩

그러자!

응!

우리도 용서해주자

그만 하라고!

팍—

꾸욱

#3 끝

#4 너부리랑 오소리가 싸운다

너부리~ 무슨 일이야?

나 때릴 거야?

앗, 너부리랑 오소리가 싸우고 있어!

이 자식, 장난해?

무슨 짓이야!

여기에 떨어져 있어서,

훔치지 않았다고!

이 자식이 내 고구마를 훔쳐갔어

떨어져 있었는지 여기 둔 건지는 풀리지 않는 수수께끼네요!

그러니까, 그건 내가 여기에 둔 거라고

이렇게 주운 것 뿐이야

더벅썩

자~ 포로리는 이 호두를 떨어뜨린 걸까요, 놓아둔 걸까요?

포로리가 여기에 호두를 뒀다고 치고,

톡

버린 거예요

아니요,

싱긋

뒀다!

떨어뜨렸다!

여기에
있었다고

봐봐,
이 구멍

'쏘옥' 하고
입으로
말했잖아

그치?
쏘옥
들어가지?

쏘옥

그럼, 내가
고구마를
위로 던질
테니까,

제대로
정하잔
말야!

시끌
시끌

시끄럿!
그럼
어쩌자는
거야?

자~
던진다

응!

그래,
좋았어!

떨어진
고구마랑
제일 가까운
사람이 주인인
거야!

퍼엌

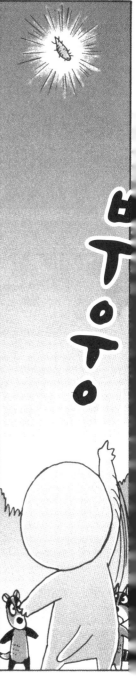

부우웅

앗!

툭

고마워

보노보노 옆에
떨어졌으니까,
이건 보노보노
고구마예요

이 자식들, 제멋대로 떠들고 있어!

너부리의 얼굴이 저렇게 되면 끝장이라고요!

너부리가 자기 아빠랑 똑같은 얼굴로…

아…

더 이상은 안 되겠어~

#5 오늘은 포로리의 생일

이건
내 선물
이야

보노보노
고마워~

생일
축하해!

포로리야

벌레잡이 라고 해

그건 내가 만든 벌레 잡는 도구야

이건?

우와~~ 뭘까?

달그락 달그락

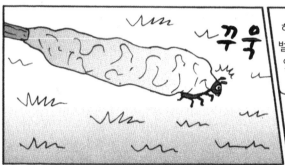

꾸욱

하지만 이 벌레잡이만 있으면…

포로리는 벌레 싫어하잖아

지금 벌레를 만진 거 아녜요?

뽁

잡은 벌레는 이렇게 떼서,

오~ 이거 좋다

벌레를 만지지 않고도 잡을 수 있어

시시한 선물이네

엄청 어설픈 데요?

그럼, 떼지 말고 둬도 돼

아… 그렇 구나

잇, 마호모?

이거~~

자~

아... 아아

내가 직접 만든 베갯잇이야

나는 이거

아~~ 아~~

마호모가 만든 목걸이예요

엄마!

그리고, 나는 이거

쿵쿵

아~~ 네네

향나무야, 향기를 맡기 위한 나무지

귀하는
매일 열심히
엄마와 아빠를
도와줬습니다

감사장

포로리 님

아~~
매년
똑같은
거야

꾸벅

이상
귀하의
엄마,
아빠로
부터

짝짝- 짝 짝

짝 짝

하하~

포로리!

좋겠다~~

좋겠어~

눈물 뚜구

#5 끝

#6 야옹이 형에게 물어보자

그래서
뭐?

진짜네!

가지가
부러졌다

앗!

진짜다!

가지 정도야 나도 꺾을 수 있어

뚝

하지만, 너부리

나 때릴 거야? 때릴 거야?

저기 봐봐!

당연한 거잖아!

뻥

삐죽 삐죽

저쪽은 이래

너부리가 꺾은 건 이런데,

뚝

안 좋은 방식으로 부러진다는 게 뭐야?

분명 안 좋은 방식으로 부러진 거 같아

오~~
새 두 마리가
격렬하게 경기를
펼치고 있다!

앗,
가지가
부러져
있다!

그게
아니라,
저
나무를
봐!

야옹이 형이
걷고 있다가

뭐?
범인?

포로리의
추리는
이래요

범인은
야옹이
형?

그렇다면

누군가 이쪽을
보고 있는 듯한
낌새를 알아챈 거죠

그쪽을 보니 나뭇가지가 있었고—

야옹이 형은 그때 깨달은 거죠

나뭇잎을 덮고 자면 엄청 따뜻하다는 것을

정말 좋아
정말 좋아
폭신 폭신 따끈 따끈

네?
동굴 아저씨?

분명 동굴 아저씨 같아

포로리,
내 생각은 달라

너희들, 무슨 일이지?

응?

그건 아닌 것 같아요~

자~~ 갈 길을 방해하는 나뭇가지는 하나하나 가둬버려야겠다~~

성 성 성 성 성 성

아이고~ 오다가 뿔에 부딪혀서 나뭇가지 몇 개가 부러졌지 뭐예요

멀리서 놀러 온 영양이야

턱

뭐 괜찮아, 들어가자고

까아악 엄청난 뿔이다~~

#6 끝

#7 이 똥은 린 거?

이게 린의 똥인지는 알 수 없죠

물론 린도 똥을 싸지만,

틀림없이 린이야

뚝

왜 우리 집 앞에다 싸냐고!

남의 집 앞에 싸는 건 예의가 아니지!

어디에 똥을 싸도 상관 없지만

데굴데굴

그렇담 이걸~

너부리~

뿡

피융

그런 문제가 아니잖아~

네가 책임져!

린!

나 때릴 거야? 때릴 거야?

좀 떨어뜨리면 되는 거예요?

이러면 집 앞은 아니니까요

3m

나
그런 짓
안 해~~

뭐어??

아니, 그거
우리 애가
한 거 아니야

아…

그런 짓
안 한다고
말하면서
하고 있잖아!

남의 집 앞에선
절대 싸지 말라고
가르쳤거든

우리 애는
분명
똥싸개지만,

어떻게
그렇게
확신해요?

여긴
우리 집이니까
상관없어!

이건
뭐지?

똑똑똑

그건
야옹이 형 집이니까
상관없어!

하지만, 린은
야옹이 형 집 앞에서도
똥을 쌀걸요?

어쨌건
우리 애 똥은
아니야

어째서
야옹이 형 집은
상관없는
거죠?

포로리에게
좋은 생각이
있어요!

후
후
후

어떻게
조사하지?

어떻게든
조사를
해야 해!

저 똥이랑
비교해보면
되겠다

앗,
그렇군

싱긋

린의 똥을
가져왔어요

그래요

으음~~
잘 모르겠다

너부리는
냄새를
잘 맡지?

그럼
어떻게
하면…

겉으로
봐서야
알 수 없지

당연
하지

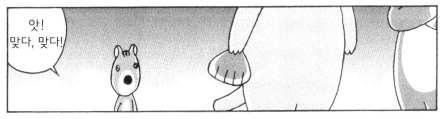

앗!
맞다, 맞다!

너부리의
코라면
뭐든 알 수
있을 거예요

모르겠네

으음

그럼 누굴까~?

어? 다른 똥?

이건 린 게 아니야

알 수 없는 걸 고민해봤자 소용없단 거지

오호라!

알 수 없는 건 버려버려?

버려 버려

우리 아빠가 알 수 없는 건 버리라고 했어

크앙~

부우웅

이런 거 버려 버리자

좋아쓰어!

뭔가 안 좋은 예감이 들어

아... 오소리!?

다 다 다 다

이거 속 시원하네

까 꼬 꼬

오오 ~~

엇?

내 똥에 대한 복수야?

휘 익

너부리! 우리 집 쪽으로 이거 던진 거, 너야?

뭐야~

알 게

그냥 나와버렸 다고~~

부들 부들

내가 싸고 싶어서 싼 게 아니야!

#7 끝

#8 보노보노 아빠의 '웃페'란

찌르는
것

같아

뭔가가
여기를
콕콕

아빠, 왜
그래요?

응

으~

꾹

응~

그럼 한다~

나라고 아무 때나 똥을 싸는 건 아니야~~

그런 건 해봐야 아는 거지!

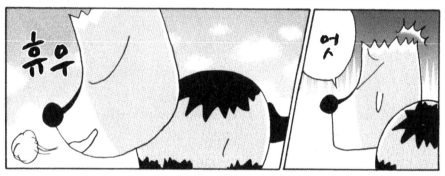

휴우

엇

보노보노가 옷페를 누르니까 뭔가 마음이 편안해 졌다고!

아니야!

역시 똥을 쌌어~~

뿌직

와아!

나는 마음이 편하면 똥이 나와!

#8 끝

#9 큰곰 대장이 숲을 지킨다

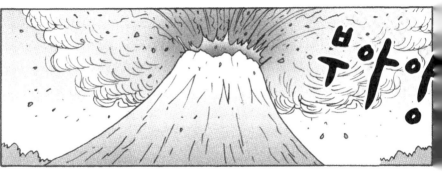

부아잉

어디 화산?

화산이 터진 건가?

엇!

엄청 멀다~

응

이 숲에도 이상한 일이 일어날지 몰라, 다들 조심해야 해

만일 이란 게 있으니까

그렇긴 해도 안심해선 안 돼

예를 들어 이렇게 땅이 갈라지거나

지익

땅바닥이 솟아오르거나 하면 조심해야 해

봉긋

기우뚱

나무가 기울거나

다른 건 없는지 다 같이 찾아보자!

아~~

우다다다

땅이 갈라지거나 나무가 기울거나 땅바닥이 솟아오르는 건 이미 일어난 일 아녜요?

큰곰 대장!

우리 집 절벽도 무너졌었어!

너도 그렇잖아!

지금 놀고 있는 거 맞죠?

질퍽

아!

질퍽 질퍽

오~~

봐, 저기

너도 마찬가지잖아!

지금 놀고있는 거지?

퐁당~

우와~

콩덩

야호~

콩당

첨벙

#9 끝

#10 린 아빠의 발명

이건 말이야, 백일홍 나무를 반짝반짝 광나게 갈아서 만든 거야

그냥 나뭇조각 이잖아

뭐야, 이게?

이걸 두 발에 신고

알았다!

반짝반짝 매끈매끈 하다~~

진짜네

누가 그렇게 노는 거랬어?

잘 안 돼!

앗?

꾁꾁

야호~~ 이건 비탈길을 내려갈 때 쓰는 거예요!

미끄러 지면서 노는 거지?

끄끌 끄끌

모두가 지나가는 곳에 놔두는 거야

또박 또박

여기에 숯으로 정보를 쓰고,

오오~~

아빠, 여기 고구마 엄청 맛있어~

맛있는 고구마밭 어딘지 아는 사람?

어?

그러면, 그걸 본 아이가

그건 예전에 내가 만든 게시판이랑 똑같잖아

뭐가 '이렇게' 라는 거지?

이렇게 되는거지

다시 쓸 수 있다고

이건 몇 번 이고 지웠다가

스마트폰 기예감 사용 능력

정해진 나무에 붙인 것 뿐이잖아

아니거든, 너는 나뭇잎에 써서

고래 고래

뭐라고?

너희 아빠 아픈 허리가 스마트폰 때문에 나았다고?

바닷속에 넣는 거야

스마트 폰을

보여 줄게!

어떻게 했길래?

그럴 수가 있나?

응~!!

장하다~~ 보노보노~~

그러고 나서 허리에 올리면 돼

아~

기분 좋다

아~

시원

#10 끝

그게
뭐야?

앗,
화내기!

부스
스~

놀랐
어?

큰 나무 껍질이
떨어져 있는 거야

널부적

이거
말이지~
내가 숲을
걷고
있는데

사뿐
사뿐

그걸 둘둘
말아 보니까

둘둘

그래서 손잡이를 달아서

통통통

괜찮아 보이는
거 있지!

이렇게 한 것뿐

거기에 있는 걸

주운 게 아니라

아니, 아니야!

됐어, 이거 돌려주러 가자

아니, 나, 이걸로 하고 싶은 게 있어서…

주운 거 맞잖아~!

자기 목소리가 엄청 커져

보노보노, 그거 재미나!

우와~~ 우와와와

스읍~~

입에 대고 힘껏 소리를 내봐

깜짝 놀란다니까!

#11 끝

#12 듬직한 너부리 아빠

집 앞이 또
똥 천지야

아~~

짹짹짹

참새를 몰아내는 장치 같은 걸 만들어 줄지도 몰라

응, 이상한 거 만드는 걸 좋아하니까

어? 너부리 아빠한테?

우리 아빠한테 부탁하면 해결해줄 거야

아빠 기분이 좋을 때 부탁해야 해

부탁하는 건 상관없지만…

너부리가 부탁해봐

포로리는 부탁하고 싶어요!

좋았어! 부탁해볼까?

너부리 아빠 기분이 좋아 보인다!

점점 따뜻해지네~

오~~

안 되겠다!

앗!

폴싹폴싹

터벅

부탁이 있어요

있잖 아요~

뭐야, 너희들?

아아, 아저씨~~

미리 부탁받는 것도 싫어하지! 그중에서도 뭐가 제일 싫으냐면

나는 갑작스럽게 부탁받는 걸 싫어하는 데다

뭐어~?

그럼 뭐 줄 건데?

포로리가 곤경에 빠졌어요!

아빠! 그러지 말고 들어주세요~

맘 편히 있을 때 부탁받는 거다 ~~~

아저씨가 포로리를 도와주면

알겠어요

아무 보상 없이 내가 포로리의 부탁을 들어줄 거라 생각했냐?

네?

118

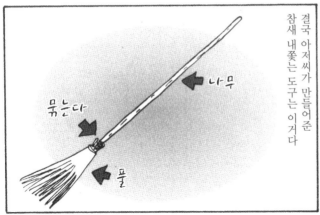

결국 아저씨가 만들어준 참새 내쫓는 도구는 이거다

나무

묶는다

풀

똑같은 얘기잖아!

참새가 오면

포로리는 그걸로 조용히 참새를 쫓는다

삭삭삭

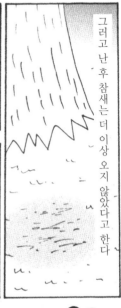

그러고 난 후 참새는 더 이상 오지 않았다고 한다

어째 진짜로 마음이 편안해지네~

훈훈

허~

#12 끝

옮긴이 고주영

공연예술 독립프로듀서이자 번역가이다. 옮긴 책으로 《리셋》,《누가 뭐래도 아프리카》,《얼음꽃》,《나만의 독립국가 만들기》,《현대일본희곡집6-7》(공역),《부장님, 그건 성희롱입니다》(공역) 등이 있다.

보노보노 1

초판 1쇄 펴낸 날 2017년 11월 25일

지 은 이 이가라시 미키오
옮 긴 이 고주영
펴 낸 이 장영재
편   집 백수미, 배우리, 서진
디 자 인 고은비, 안나영
마 케 팅 김대성, 강복엽, 남선미
경영지원 마명진
물류지원 한철우, 노영희, 김성용, 강미경

펴 낸 곳 (주)미르북컴퍼니
자 회 사 더스토리
전   화 02)3141-4421
팩   스 02)3141-4428
등   록 2012년 3월 16일(제313-2012-81호)
주   소 서울시 마포구 성미산로32길 12, 2층 (우 03983)
E-mail   sanhonjinju@naver.com
카   페 cafe.naver.com/mirbookcompany